中国科学院院士、国家自然科学奖获得者 张景中 领衔创作

天梦奇旅 第三卷

小学数学实验漫画版

张景中　张 矩　黄子睿 / 著

U0803505

科学普及出版社
·北 京·

图书在版编目（CIP）数据

天梦奇旅．第三卷 / 张景中，张矩，黄子睿著．— 北京：科学普及出版社，2017.1

（小学数学实验：漫画版）

ISBN 978-7-110-09346-7

Ⅰ．① 天… Ⅱ．① 张… ② 张… ③ 黄… Ⅲ．① 小学数学课–教学参考资料 Ⅳ．① G624.503

中国版本图书馆 CIP 数据核字 (2016) 第 244834 号

策划编辑：杨虚杰
责任编辑：汪晓雅
装帧设计：犀烛书局
责任校对：杨京华
责任印刷：马宇晨

出　　版：科学普及出版社
发　　行：中国科学技术出版社发行部
地　　址：北京市海淀区中关村南大街 16 号
邮　　编：100081
发行电话：010–63583170
传　　真：010–63581271
网　　址：http://cspbooks.com.cn

开　　本：787mm × 1092mm 1/32
字　　数：110 千字
印　　张：6. 125
版　　次：2017 年 1 月第 1 版
印　　次：2017 年 1 月第 1 次印刷
印　　刷：北京科信印刷有限公司

书　　号：ISBN 978–7–110–09346–7 / G · 3984
定　　价：19. 80 元

关于作者的那些事

张景中爷爷年轻的时候喜欢写诗，也喜欢做数学题。后来题越来越难，20 年前题就难到特别不好做的时候了，张爷爷就成了中国科学院院士。可是张爷爷还喜欢写书给小朋友看，比如《数学传奇》《漫话数学》《数学游戏的故事》《少年数学实验》。

张矩叔叔小时候做不好张爷爷（那个时候叫张叔叔）出的题，所以到美国去念了计算机科学的博士学位。现在在中国科学院重庆院守着一万多个核的超级计算机（反正就是很厉害）做天气预报跟基因分析计算的时候补做数学题。张矩叔叔特别喜欢听人家讲故事。

黄子睿姐姐小时候喜欢跳舞、喜欢听故事、喜欢讲故事、喜欢过家家。现在长大了学会了编故事，还喜欢找其他哥哥姐姐一起编故事。

葛良叔叔小时候没有上过课外美术班，自己就喜欢画画。后来长大了就给小朋友做动画片，做过《熊猫晶晶》《洛克王国》的原画指导，还制作了《熊小米》给特别小的孩子看。现在领着好多哥哥姐姐给大家做漫画。

关于内容

慧之元神千百年间都附身在有灵性的物体身上，回答主人的问题。最近风华小学三年级懒癌学生夏小梦的生活可不平静：家里8个月大的弟弟突然开口叫他“主人”；新来的数学老师帅气又神秘；还有学校后山古堡，究竟藏着什么？

夏小梦在弟弟和朋友的帮助陪伴下，不仅在探险中提高了数学成绩，还学会了爱与责任。

序

《少年数学实验》完成以后，张景中院士一度雄心勃勃着手准备一本《小学数学实验》，可惜因事务繁冗未能一鼓作气完成。张矩看到已完成部分，虽然按张景中既有著作风格不够独立成书，然而参照国外数学漫画的形式，足够出版五六本小读物了。张景中从事基础教育科普工作30余年，深感青年人的参与对于科普工作十分珍贵与重要，探索漫画科普创作之路这一理念也得到了张院士的积极支持。因此，黄子睿在重庆邮电大学征召了十几位爱好写作的本科大学生，绝大部分是理科学生。他们把故事编得可读性强，努力揣摩小弟弟、小妹妹的兴趣所在。葛良从事动漫工作多年，近年涉足幼教动漫，对高年级教育动漫开发的挑战有深刻理解。托国家近年大力发展动漫产业的福，葛良得以找到一批年轻漫画工作者参与我们的工作。作为创作方式的一个实验，我们尽可能在每个部分体现多名写作人员与多名漫画创作人员的合作。筚路蓝缕，举步不易，然终成果实，不惧尚有瑕疵，亦呈现给读者，以求指正。企望团队从此出发，日夜磨炼，修正不足，不断成熟。

张 矩

2016 年 夏

目录

主要人物介绍

易佰分：

小梦班上的学霸，胜负心极强，经常引起他人的反感。

布慧庞：

小梦的同学，吃货一枚，小梦的好朋友，为人憨厚，懂事善良。

姚爱国：

小梦班的班长，一个中二病的热血直男。

夏小梦：

本书主角，小学三年级学生，夏小天的姐姐，拥有酷酷的性格。

美琪：

小梦班的班花，家庭富裕，受班上男生欢迎，爱耍小性子，非常自恋。

李斯特：

小梦学校的数学教授，头脑灵活，学识丰富，外表俊朗，为人自信，受全校师生喜爱。

迪卡卡：

小梦学校校长，原是全球排名第一的拉弗儿大学的数学系高级教授，为人睿智低调。

张玲：

小梦班班主任，职业女性，循规蹈矩，服从上级爱护学生。有更年期轻微症状，易被激怒。

夏小天：

夏小梦的弟弟，八个月大。外表看似呆萌，实则是 IQ 超过 200 的天才宝宝，经常黏着姐姐夏小梦。

第一话 出发！武乡庙

哟，这小孩
真可爱啊！
宝宝，宝宝，
看这里哟～

姐，好羡慕你啊，生了这么可爱的宝贝！
哈哈哈哈，没办法，孩子随我，随我！
忍！

宝贝儿，这是什么？奶嘴……奶……嘴……
我乃智慧之神，居然问我如此愚蠢问题……关键是！我还不能回答你！
对不起！对不起！

我去武乡街买点吃的。
我走不动了，要去你们自己去吧。

噢哦，我只有跟着你去买鸡腿了。
怪我咯，你以为我愿意啊?！
可是我愿意啊，鸡腿啊，鸡腿……大鸡腿……麻辣五香酸汤孜然糖醋……

鸡腿！我的鸡腿！

张老太婆点名让
我讲刘德和猪猪
亮的故事。
VS

完胜
烦死了，他们的故事关我什么事啊。
哈哈哈哈……
哈哈……猪猪亮……
啊哈哈……哈哈……

诸响亮可是流芳百世的智者，你快来接受一下熏陶。
所以嘞，难道进来走一圈我就会被他附身啦？

咦！
这就是诸响亮用的那个羽毛扇吧？
应该可以换一套《怪兽名单》珍藏版了吧。
唉，小孩子就是小孩子。

啊……！

第二话 穿越?! 三国之争

喂！
醒醒！醒醒！
这……这……
怎么回……
事啊？
嗖～～嗖～～～

蛮邦集结大
军，速禀告
军师
嘘~
这到底是怎么
回事啊?

什么鬼！我们不是穿越了吧！拜托！这么老的梗会有人看吗?
…
而且现在应该是三国战争时期。
那就可以不用上学啦！

终于可以不用上学了！
哇~

Vs
3

回……回不去了吗?
一切皆因那把羽毛扇而起!
现在就去找!

当务之急是先去找套衣服换下来！
$
3.25

对对对！
怎么办？
看着来啊！

这么用力出人命怎么办!
大哥我不是故意的，回家一定多给你烧几炷香!
啪啪~
食

这样也不行啊！
快想想办法！

纯天然，无公害，要不要试试！

吃吃吃！就知道吃！让你在这吃一辈子鸡腿！

哇~

第三话 蛮邦来袭

小心啊。
机会！
等等小梦！

这里安全。
好玩吧?
哈哈，你真会找地方。

军师，曹军这次看来是想将我们灭之而后快。
敌军企图已经明显。
军师！
末将军愿率我两千蜀汉将士前去将曹军一鼓全歼。

……
难道我蜀汉众将士会怕他不成！
杀！
杀！
……
哎。

我等两千兵马呈正方形进攻，每纵每列各四十八人，那曹军必讨不到便宜。
两千人如何能呈正方形？曹军定会找到我之弱处全力突破。
咦？！怎么他这么快就知道两千人不能成正方形？
48
×48
?

你看，两个两位数相乘，结果的个位数也是由两个乘数的个位数决定的。
这样的话，8×8=64，那结果个位数为4。所以……
不是0。
所以肯定不是两千人，组不成方阵。
48
×48
384
192
2304
≠2000
……

不对啊！
哪里不对？
我们只知道48不行，不一定其他的数也不行啊？
□□
×□□
=2000
？
新来的数学老师很有能耐嘛，你居然开始学数学了！
哼！

就像我们刚才说的，2000的个位数是0，两个乘数的个位数也该都是0。
□□
×□□
2000
一零得零，二零得零……
好像找不到这么个数。
所以说 2000 是找不到一个数和自己相乘得到它的。
古人也知道这个？牛！

就算敌众我寡，那难道就这样坐以待毙吗？
硬拼不可，但也未必没有生路。
敌众我寡？难不成。
红壁之战！
哈哈！
这么溜！
小声啊。

谁?
有刺客!
快跑!
嗖!

好险。
怪我咯?
这也太酷了！姐难得穿越一次就摊上这么个大事。
这次定十分凶险，我们还是小心为上。

要是嫦姐没把我
手机收了，这次
就爽了。
茄子。
三国不是你想来就能来。
到时候成了
炮灰可不关
我的事啊！
回去你
等着！

第四话 训练场

训练场
大战看来在所难免了。
哗——哗——

你们都是我德邦好男儿，今日就是你们保家卫国的好机会。

定不辱命。
今日先派十三行十二纵作为先锋，前去打探情况。
遵命！

知道十三行十二纵
是什么意思吗?
那总共有多少人?
切!不就是横排有 13 排,
竖排有 12 列?

12
×13
36
12
156
哎，列什么竖式啊，浪费纸。
烦！直播你不看，做什么数学啊？

好像下节数学课，是你钟爱的李老师。
要上两位数的乘法哦！
这个……
生活处处是学问！

花痴!
三个!
五个!
成交!

你观察一下结果，156 中个位数 6 是怎么产生的。
12
x 13
36
12
156
个位数是 2×3=6 得来的呀。
156
这个呢?
1 2
1 3
1×3+1×2=5
1×3 的结果加上 1×2 的结果。

那不就得了，中间的数字就是两个数字不同位置上的数交叉相乘再相加。同样的，类比个位数，前面的百位数就是两个十位数相乘的结果……
停停停！
能不能考虑一下我智商的感受，说人话！
举个鸡腿……噢不，举个例子你就明白啦，28 乘以 45 等于多少呢？

个位：5×8=40，故个位为 0
十位：4+2×5+8×4=46，故十位为 6
百位：4+2×4=12，故百位为 2，千位为 1
所以，28×45=1260
天天大讲堂
没意思，就一回事。
那再换个思路，13×12=13×(10+2) 把 12 拆成两个数的和。
总共十三行十二纵，先算前十列：13×10=130，再算后两列：13×2=26，相加就是全部结果啦。
26
+
130
乒

好像是那么回事。
这种就适合你这种粗心鬼！
勉强赞你一下吧！
嘻嘻

第一行出列！
你们十二人是此次先锋中的先头部队，负责掩护他们进行方阵变动。
摇
摇
是！
是！

天机不可泄露……
军师是否已有对策？
你看那方阵有什么特点。
所谓方阵，肯定就是横竖一样多啊。

除去第一排的 12 个，方阵总共还剩 144 人。
12
×
12
=
144
兵
不错。
小爷我成绩虽差，但脑子好使！
本质上其实也是“拆数”，12 × 12 不是也等于 12 × (13−1) 吗。
原来猪猪亮这么厉害啊！几百年前就知道这些了！

第五话 青年诸响亮

画外音
然而你以为的你以为只是你以为……
闹市
青年诸响亮
李哥……
赶紧滚。

王嫂……
别影响
做生意！
呃……

今天去哪儿吃啊！
嘿
哎哟！
哈哈

寺庙

偷偷摸摸
干什么呢!
放下!

别……别……
大哥你误会了。
老有人说寺庙
里会少东西。
蹲了半个月。
等的就是你！

人呢？人呢？
那小偷跑
哪去了？

第六话 羽扇之谜

然后呢?
然后就成现在这个样子了。

差别也太大了吧！
我估计啊，是寺庙里的什么宝贝让他转走了。

他是贼，你怎么不去揭发呀?
人家现在可是堂堂军师，分分钟钟捏死我啊！

我们看到展厅里的羽毛扇后就来到这里了。
??
难道寺庙里的宝贝就是那羽毛扇吗?
难道这是我的某个宿主?

第一次见那把羽毛扇，
我就有似曾相识的感觉。
你自己都不记得吗？

我已存在千万年，经历众多轮回，不可能记得所有宿主的，但这种奇妙的感觉，只有和宿主相遇才会出现。
可以感受到对方的存在和气息。
我可不想感受你的存在和气息。

别顾着吃！想想办法啊！

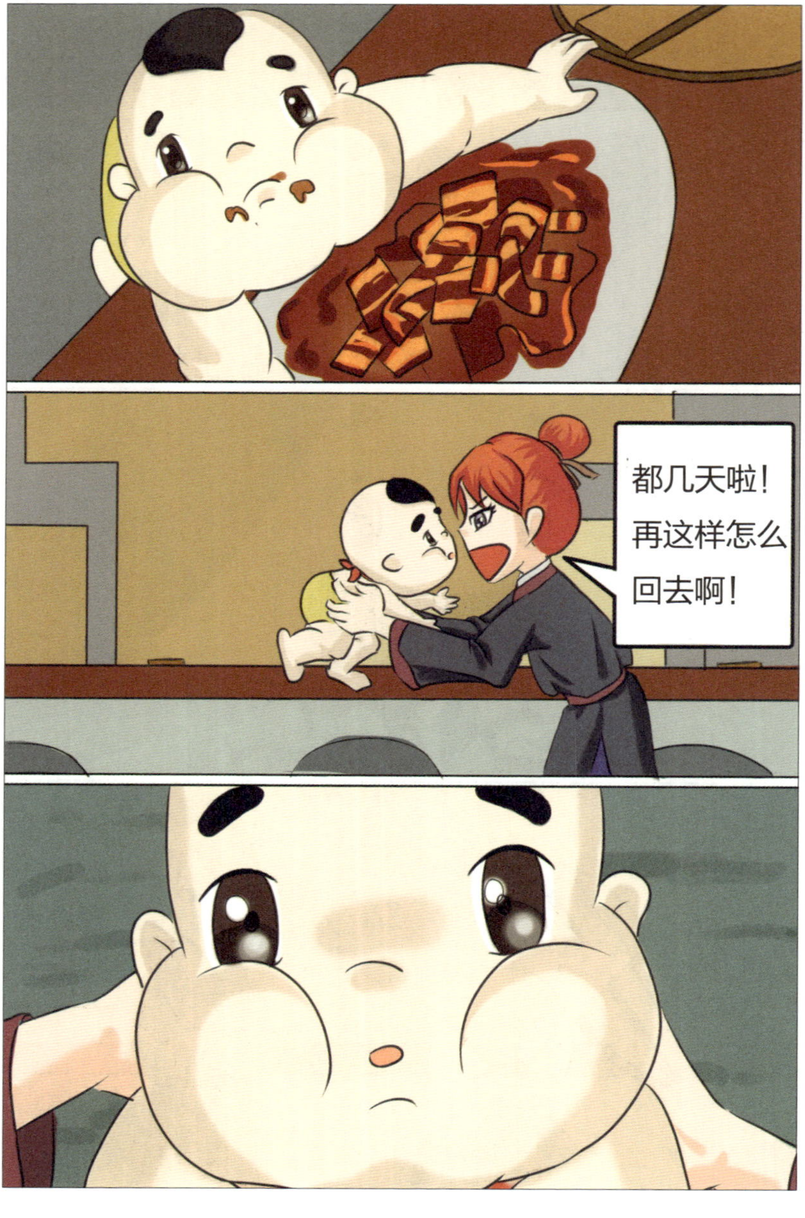
都几天啦！
再这样怎么
回去啊！

一当官，这就开始和我摆谱了。
想当初还是……
得了吧。牛皮再吹小心破了。

这还不够细？有本事他来一个！
还不是嫌弃我的鸡肉不够外酥里嫩，入口即化啊！
这两形容词能放在一起吗！

话说军师整天闷在房间里，不太正常啊？
先把你的红烧肉管好吧！
啪！！
红烧肉！
我的红烧肉呢！

你偷吃我的
红烧肉！

……
你偷吃！
你！！！
偷吃……
胖子！
我和你
没完！

第七话 揭破，坦诚相待

吓死宝宝了！这么东躲西藏的也不是办法啊。

没听见刚才地瓜丝的话吗?
什么地瓜丝啊?不是才吃完吗?

哦哦哦！
那个……
你的意思是？

军师定是有自己的考虑。

这可怎么办才好啊！
军师，厨房送宵夜的来了！

不用，我已准备就寝。
军师！这次包您满意。

啊，真香！
这咋办呐？

能咋办！赶紧回去，
人家不吃！

是放到哪儿去了啊！
要出人命啦！

你……你们是谁？竟敢随意闯入军师卧室？
别误会！我们不会伤害你的。
凭什么相信你们啊！再不走我就叫侍卫了啊！

那我就告诉他们没了羽毛扇你啥都不是。
啊
你……你怎么知道的?
放心！我们是来帮助你的，不会说出去的。

大战在即，扇子
却突然不见了，
这该怎么办啊。
在 21 世纪，你
可是流芳百世的
大人物呢。

哎，我知道自己是走了狗屎运。何德何能得到德邦百姓的拥护爱戴，将士们敬重信任我，不顾生死在前线厮杀，无论如何，我必须拼尽全力，誓死保护他们啊！
小梦：咳咳……虽然你这老头不讨人喜欢，但还挺有担待。
我们会帮你的！

第八话 布阵迎敌

咚
咚
咚
军师！军情紧急，
恕属下打扰！
咚
咚
咚

我已更衣，你且站在屏风外细细说来，莫慌！
据探子来报，蛮邦现已派出先遣部队，意欲向我方发起突袭。

此举定是想杀我们个措手不及，顺便打探我方军队实力，不知军师有何对策。
大概多少人？
情况不妙。
只知分成三路，一路五名先锋，各带一十五人。

军师！
是否已有对策！

请将军先到门外稍等片刻，容我思量一番。
军师为何如此反常。

将军放心，军师乃文曲星转世，定有妙计！
完蛋了完蛋了！蛮邦此番突袭为虚，打探为实啊，若我方不敌，他定会一鼓作气攻上来的！
别说这种丧气话。

神仙！你是神仙对不对？快帮帮我吧，求你了！
先别自乱阵脚。看看对方派了多少人我们才好应对啊！
对啊！刚才说的多少人来着。

分三路，一路五名先锋，各带一十五人。
不管怎样，我们的人至少得比他们多吧。
那又该怎么派兵啊！

有三路，每路五个人，那就是（3x5=15）15个人啊。

1×1=1
1×2=2 2×2=4
1×3=3 2×3=6 3×3=9
1×4=4 2×4=8 3×4=12 4×4=16
1×5=5 2×5=10 3×5=15 4×5=20 5×5=25
1×6=6 2×6=12 3×6=18 4×6=24 5×6=30
6×6=36
1×7=7 2×7=14 3×7=21 4×7=28 5×7=35
6×7=42 7×7=49
1×8=8 2×8=16 3×8=24 4×8=32 5×8=40
6×8=48 7×8=56 8×8=64
1×9=9 2×9=18 3×9=27 4×9=36 5×9=45
6×9=54 7×9=63 8×9=72 9×9=81

那不就是十五行十五列?
不错！这次反应挺快。
那就多派点人马！杀他们个片甲不留。
那多少人合适?
不行！这次我们本来人就少，不能拿出太多精锐去抵抗偷袭。

十六列十六行吧！
这又是多少人啊？
现在可没有扇子啊！要求别这么高。
快帮我算算啊！我手指都数不清了！

可以把一个 16 拆成
10+6 的和，
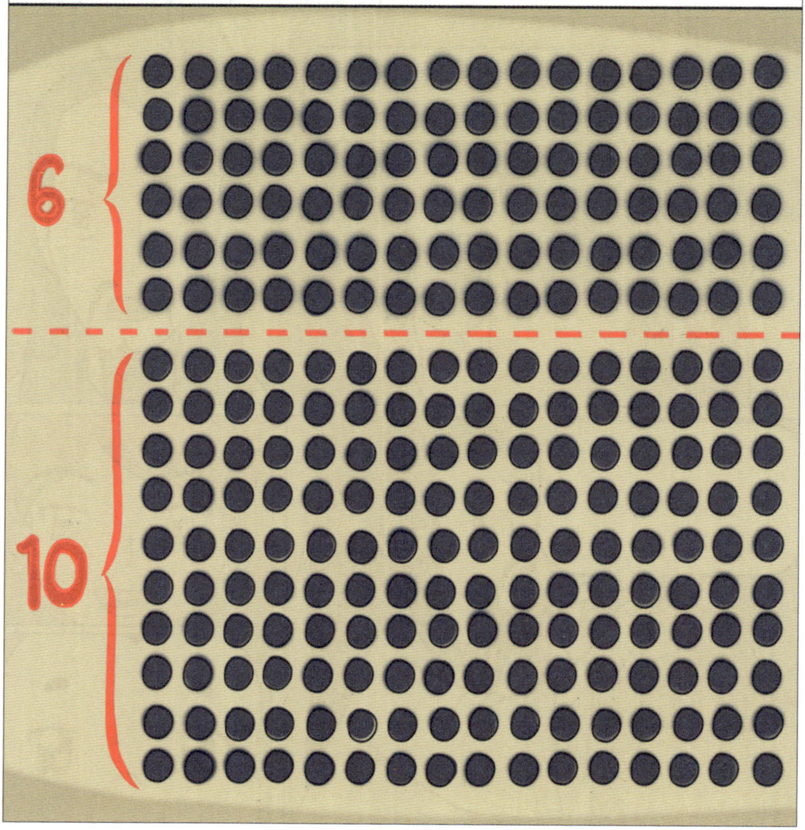
6
10

6
10
16
10
16
×
=
160
前十行一共 160 人，很 easy 啦。
易热？我们的将士们不怕热啊，哎呀，不管了，那后 6 行呢?

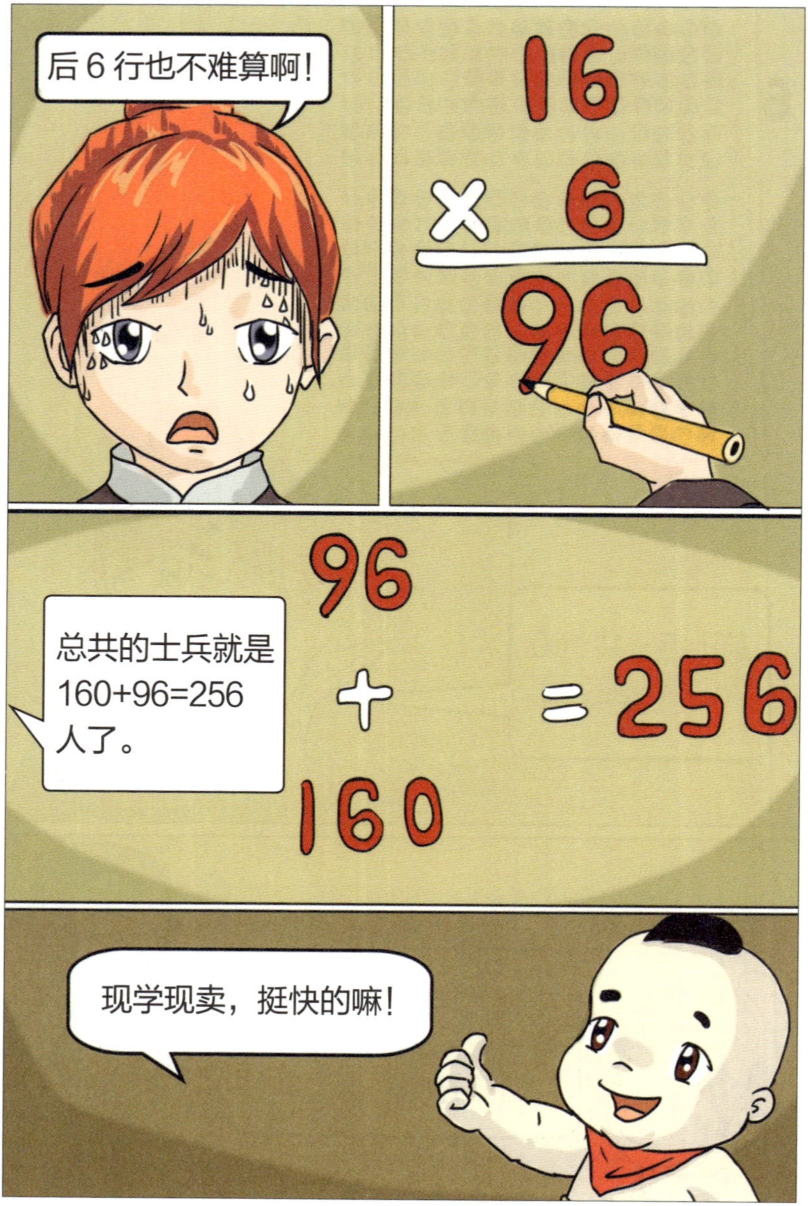
后6行也不难算啊！
16
×6
96
总共的士兵就是160+96=256人了。
96
+
160
=256
现学现卖，挺快的嘛！

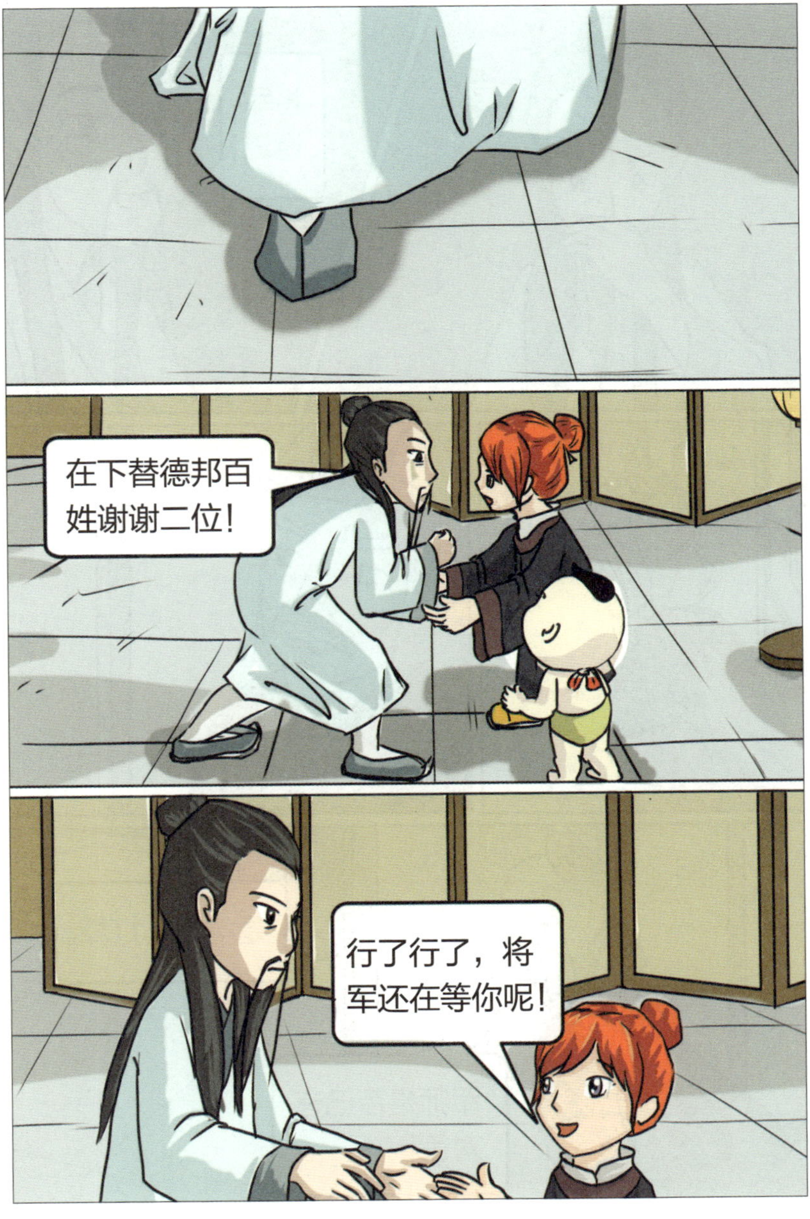
在下替德邦百
姓谢谢二位！
行了行了，将
军还在等你呢！

将军
请进！
是得早作打算。
军师是否已有
对策！

我们假装不知，直到其亲兵靠近我军边界，再派出十六路先锋各带十六人，总共……总共……
总共如何？请军师明示！

256
总共 256 人！从四周分散开，一定可以将其围困住！
属下这就下去布置！

第九话 授计定乾坤

终于解决了。
仗还没打完呢，接下来你打算怎么办？
曹……曹贼有八……八十万大军，我方联军五……五万……

对了！红壁之战！
语文课上张老太婆
讲过！哎，那蛮邦
号称有 80 万大军，
忽悠你的！他只有
20 万！
20 万?
可我军只有 5 万
兵力，敌军是我军
的 6 倍……啊？不
对……7 倍?
到底是 6 倍还
是 7 倍啊！
猪猪小同学，20 除以 5
等于 4 好吗?

唉……
没见过数学
比我还差的。
咳咳……你得
用火烧，然后！
额……小不点！
你说！
蛮邦的北方士卒不习惯坐船，更不习水性，定会将船舰首尾相连，你可选取战船十艘，装上干荻和枯柴，在里边浇上油，外面裹上帷幕，上边插上旌旗，预先备好快艇，系在船尾，派人送信给蛮邦，谎称打算投降，据我推算，当时东南风正急……

妙计！！
我马上叫人筹
划此事！
小神仙呐！
你们帮我这
么大忙，我
该怎么感谢
你们啊！
可以叫地瓜丝
每天给我做红
烧肉吗？
正事都忘到哪
儿去啦！

正事?
其实我们是准备借你的羽毛扇一用。
借?
它能帮我们很大忙啦。
可惜不见了。
放心！我是谁啊！肯定帮你们找回来！
帮我们……

你俩干
啥呢?

大早上不睡觉。

小兔崽子！
敢捉弄我？
再不洗，墨汁
就都凝固了！
要是我这个美男
子的容颜被毁，
你俩等着！

咚
咚
咚
何事！
今日凌晨蛮邦派兵准备偷袭我方，被我方的骑兵全部生擒。
真的？

我方零伤亡全歼敌军！
谢谢你们！我替全城的老百姓感谢你们！
小事，小事，接下来就看你的啦。

第十话 重回现实

“啪”

诸响亮！诸响亮！
说什么呢！做什么梦呢！
好啦好啦！这么多人看着呢！

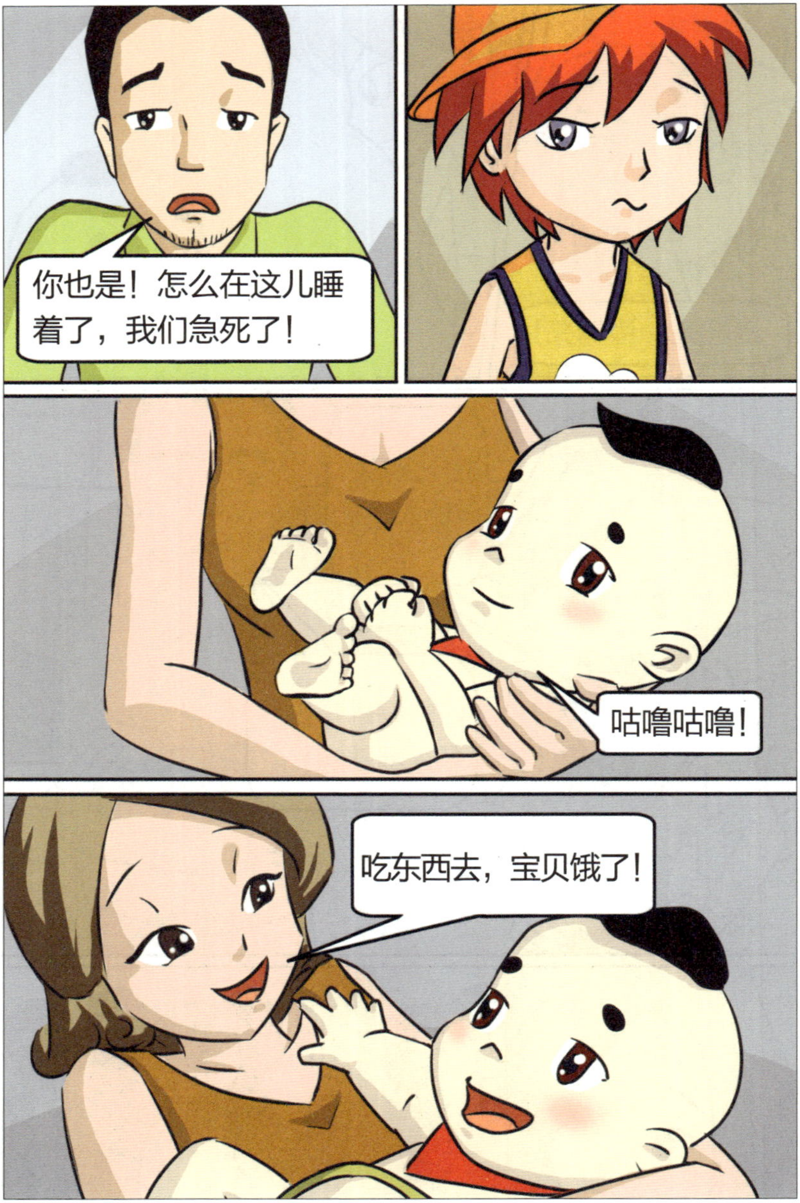
你也是！怎么在这儿睡着了，我们急死了！
咕噜咕噜！
吃东西去，宝贝饿了！

小梦，在想
什么呢？
好浪漫哦！
慧庞，你相信
穿越吗？

等我瘦下来就去穿。
不知道猪猪亮现在在做什么呢?

耶！完美！
什么东西痒酥酥的？
呲……好痒啊，越来越痒！

真的好帅！
同学们！过几天我想在班上举办一个活动。

篮球赛吗？哈哈，来单挑！

人与动物之间要相亲相爱，下次大家都带自己喜欢的小动物来，好不好啊？
好！
好！
好！
好！

慧之元神，这次我可不会再放过你。
矜持点！矜持点！

已经两个
小时啦！

他今天盯着你看了15秒，还一直给你放电，你觉得他的微笑简直比春天的桃花还要迷人。
到时候得要留一个好印象啊！
小梦！

就不能先敲门？吓死人啦！
不好意思，吓到我们宝贝了啊。
我是你妈！进来还得你同意啊！
什么事啊？
呀！你老娘来看看你不行啊？

说得好听！
我们带宝贝去阿姨家玩儿好不好呀！
不要告诉我……
就是易百分家。
他家有什么好的啊！

我们小天那么可爱，不让她看看怎么知道啊！

第十一话 换宠诡计

风华小学
Baby~~~

Baby，今天在学校玩 happy 哟，下午 Mommy 来接你。
Mommy 啊，别的小朋友现在都自己回家了。
况且我还要护送美琪安全到家。

Baby 长大了，不需要 Mommy 了吗? 不过没关系。
Mommy 会尊重你的决定的！
Good bye，mommy！

PET
这可是纯种牧羊犬。
血统高贵，智商又高。

夏小梦！
你带的是什么啊？

我们豆豆活泼又机灵。
不像有些人胆子那么小。
夏小梦，你等着。

慧庞，怎么没带宠物来呀？

奶奶说宠物身上有细菌，不让我养……

都先回到座位上。

同学们，可以先回到座位吗？

好帅！

李老师提议搞个活动，大家有没有兴趣啊？
有！

我建议大家可以和同学交换宠物，会更有趣哦！
慧庞，你来照顾豆豆吧！

真的吗？我可以照顾豆豆吗？
可是小梦，我没有宠物和你交换。
哈哈，没关系，我夏小梦一出马，谁都会抢着让我照顾他的宠物的。

我就知道小梦是最棒了！
豆豆，这段时间就由我照顾你啦！

好可爱的兔子！
是啊李老师，小梦的豆豆是最可爱的！

哦，对了，慧庞啊，刚
才你爷爷打电话，说有
急事，在校门口等你。
爷爷！
李老师，你能
先帮我看着豆
豆吗？

当然可以，你也别着急，路上小心。
谢谢老师！
我会好好照顾你的！

番外

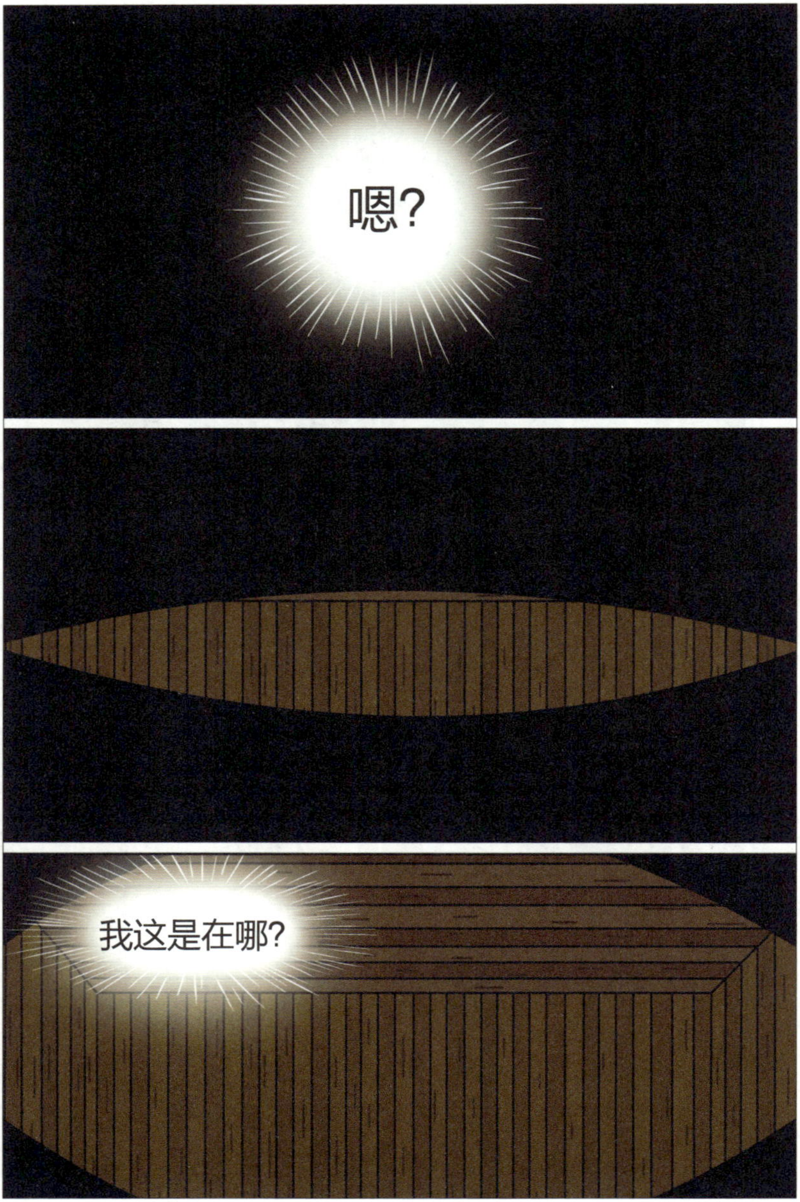
嗯?
我这是在哪?

我这是死了吗?
不，不会的。
我本山川精怪，
不会死的！

哒——哒

大坏蛋！
放开我姐姐！
我姐姐不惜用自己精魄救你！你竟如此待她！
我太莽撞了！

咳
嗞~
在下无意冒犯。

还请姑娘见谅。
我叫雪薇。
这是我弟弟小澈，
哥哥叫什么名字？

在下魍魉，多谢姑娘救命之恩。
你的名字叫大坏蛋吧！
你把我姐姐辛苦炼制的蔷薇花蜜都打翻啦！

精魄？
炼制？
莫非你们是蔷薇花精？
哥哥莫怕，我们虽是花精，但从未有过害人之心。

你有犄角！
你也是妖！
对不对？
你是山羊还是大水牛变的？
哈
哈
哈

5000 年后

我前些天路过淮山南边的森林，看见那边的林子一片狼藉。
槐树爷爷也被人类法师捕获了。

为什么人类要驱逐我们、砍伐我们？人和妖难道真的不能共存在这世间吗？呜呜……呜呜呜……
没事的，没事的。一切都会好起来的。
我们本是南山上的植物。

吸收天地灵气，好不容易化成人形，没想到人类为了给统治者修建避暑之庭，派捉妖的法师过来对我们妖族大开杀戒。娘亲……娘亲为了保护我和弟弟，与法师殊死一战，耗尽全身精魄……呜呜……

雪薇听话，不哭了，魍魉哥哥会给你们报仇的。

我们一定能的！ 平等自由地活在这世间！不必东躲西藏，不必害怕砍伐和杀戮！

平等自由地活着……